CHILDREN'S 21 day loan

PLACE IN RETURN BOX to remove this checkout from your record.
TO AVOID FINES return on or before date due.

DATE DUE	DATE DUE	DATE DUE
	SEP 2 0 2022	

2/17 20# Purple FORMS/DateDueForms_2017.indd

Compère Chien et Compère Chat

Konpè Chyen épi Konpè Chat

Le rêve de Compère Crabe

Rèv konpè krab

bilingue : créole-français

© L'Harmattan, 2009
5-7, rue de l'Ecole polytechnique ; 75005 Paris

http://www.librairieharmattan.com
diffusion.harmattan@wanadoo.fr
harmattan1@wanadoo.fr

ISBN : 978-2-296-07646-4
EAN : 9782296076464

Philippe Mariello

Illustrations de Nicolas Hell

Compère Chien et Compère Chat

Konpè Chyen épi Konpè Chat

Le rêve de Compère Crabe

Rèv konpè krab

bilingue : créole-français

L'Harmattan

Du même auteur

La Caraïbe en questions-réponses, L'Harmattan, 2000

Nos départements et territoires d'Outre-mer en questions-réponse, L'Harmattan, 2001

Guadeloupe-Martinique Quiz, L'Harmattan, 2003

Quiz-kréyôl, L'Harmattan, 2006

À Choupinette

PH. M.

À Mariam

N.H.

Yé éééCric ! Yé é... Crac !

Yé éééKrik ! Yé é... Krak !

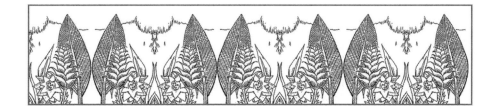

Dans un temps très lointain, mon arrière-grand-père était encore en culotte courte, et Compère Chien et Compère Chat étaient les meilleurs amis du monde. Ils partaient souvent chasser ensemble.

An tan lontan, lè awyè, awyè granpapa mwen té tibolonm, Konpè Chyen épi Konpè Chat té lé méyè zanmi di monn, tou lé jou yo té ka pati chasé ansanm.

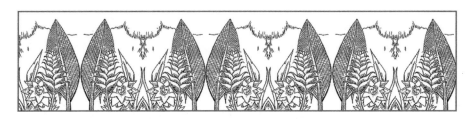

An lanné, diran lasézon karenm, yo pa rivé trapé pyès jibyé.

Dépi an bon lalin gad-manjé yo té pli vid ki pôch yo.

Mézanmi, bagay'la té tèlman rèd pou yo, ké sété yonn pou yonn.

Konpè chyen, ki té ni an gwo pyé-mango chajé douvan kaz'li, désidé vann sé mango'a asou mawché'a, pou té trapé yonn dé lanmonné pou i sa achté sosis.

Opipirit chantan, Konpè Chyen chajé pannyé'w anlè tèt'li, é i désanm laplas mawché.

Lè i té fini vann tout pannyé mango'a, épi lajan-an i achté anlo sosis. Lè i té ka ritounen lakaz'li i kwazé anlè chimen'y Konpè Chat ki té ka séré bouden'y tèlman i té fen.

Konpè Chat ki té fouyaya chèché a sav sa ki té adan pannyé bon konpè'y.

Yé mistikrik ! Yé mistikrak !

Konpè Chyen pa té djè enmen patajé ganmèl'li, i réponn'li ké sé lédjim mawché'a i té ka chayé la.

Une année, durant la saison du carême*, ils n'attrapèrent aucun gibier. Leur garde-manger était aussi vide que le fond de leurs poches, la faim les tenaillait.

Ce fut alors chacun pour soi.

Compère Chien, qui avait devant sa case un beau manguier qui donnait de grosses mangues, décida de les vendre au marché pour s'acheter des saucisses.

Au petit matin Compère Chien chargea son panier sur sa tête et se rendit au marché où il vendit toutes ses mangues. Avec l'argent de sa vente il s'acheta des saucisses.

De retour du marché il croisa en chemin Compère Chat dont le ventre criait famine.

Compère Chat, curieux, chercha à savoir ce que transportait son vieux compagnon de chasse.

Yé misticric ! Yé misticrac !

Compère Chien, qui n'était point partageur, lui répondit qu'il ramenait des légumes du marché.

*Il y a deux saisons aux Antilles, le carême et l'hivernage. Le carême est la saison sèche (mars à juillet).

Konpè Chat ki té ni an nen fen té ja santi lodè sosis'la adan pannyé'la.

An lo fwa i pwopozé'y an kout-men pou té pôté pannyé'a.

Konpè Chyen pa menm réponn li.

Lè yo rivé an bôdaj kaz'la, Konpè Chat apwoché bô konpè Chyen i tapé anlè zépôl'li é i di'y :

- Konpè, mwen ka sonjé pa plita ki sèzon pasé nou téka chasé kon dé frè. Ou sav man ja ka rigrété sé bon moman tala !

Kon an flèch, Konpè Chat ralé pannyé'a an lanmen Konpè Chyen.

I filé tout dwèt an tèt pyé-mango'a.

Konpè Chyen èstébékwé pa kronprann sa ki té ka rivé'y.

Lè i ripwan lèspri'y, Kompè Chyen abwayé kon an chyen anrajé épi i éséyé grenpé an pyé-mango'a.

Yé krik ! Yé krak !

Mais Compère Chat qui avait l'odorat très développé avait flairé les saucisses cela bien avant de croiser son compère. Plusieurs fois il lui proposa de l'aider à porter son panier mais Compère Chien ne lui répondait pas.

Lorsqu'ils arrivèrent près de leur case, Compère Chat se rapprocha de son compagnon, il lui tapa amicalement sur l'épaule :

- Compère, je me rappelle que pas plus tard que la saison dernière, nous chassions ensemble comme des frères, je regrette ces bons moments.

Puis sans crier gare, Compère Chat bondit sur Compère Chien. Il lui arracha le panier des mains et s'enfuit au sommet du manguier.

Stupéfait, Compère Chien reprit ses esprits et aboya de toutes ses forces. Puis il tenta mais en vain de grimper au manguier.

Yé cric ! Yé crak !

15

Yé cric ! Yé crac !

Tout le monde sait que les chiens ne savent pas grimper aux arbres !

Cric ! Crac !

Sans la moindre inquiétude, Compère Chat festoyait perché au sommet du manguier. Quand il eut terminé il laissa tomber le panier qui atterrit directement sur la tête de Compère Chien.

Yé Krik ! Yé Krak !

Tout moun sav chyen pa sa monté pyé-ba !

Krik ! Krak !

San menm entjété kôy , Konpè Chat té ka fèstoyé kon an pacha an tèt pyé mango'a.
Lè i fini manjé lé sosis'la, i ladjé pannyé vid'la anlè tèt Konpè Chyen.

I pa fè yonn dé, i kouri alé chaché an hach pou koupé pyé mango'a.

Lè Konpè Chat wè sa i chyèlé désanm pyé bwa'a pou té séré anlè kaz'la.

Adan menm balan'an Konpè Chyen krazé kaz'li-a pou té sa délojé'y.

Konpè Chat tonbé anlè kat pat'li é i pwan kouri an lari'a. Konpè Chyen kouri dèyè'w jis opiririt chantan.

A fôs kouri san janmen rivé trapé'y, i mété kòy ka pléré gwo dlo :

- Hou ! Hou, mwen pani kaz, mwen pani pyé-mango ankô, mwen las é mwen fen !

I té ka kriyé telman ozabwa kè lé vwazinaj ki té anbarasé épi'y vwéyé anlè'y soulyé, pannyé épi pôt flè pou i té fèmen djèl'li.

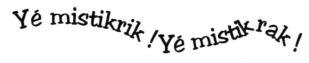

Fou de rage, Compère Chien prit sa hache et entreprit d'abattre le manguier. Compère Chat descendit du manguier et se réfugia sur le toit de la case de Compère Chien. Celui-ci dans sa fureur démolit sa case.

Compère Chat retomba sur ces pattes et s'enfuit, poursuivi par Compère Chien jusqu'au petit matin.

Lasse de courir sans pouvoir attraper le voleur, il se mit à pleurer :

- Hou ! Hou ! je n'ai plus de case, je n'ai plus de manguier, je suis épuisé et j'ai faim !

Il pleurait tellement fort que le voisinage, exaspéré par ces aboiements, lui lança à la tête des chaussures, des paniers et des pots de fleurs pour qu'il se taise.

Yé misticric ! Yé misticrac !

Konpè Chyen modi Konpè Chat :

- Chat si an jou man kwazé'w anlè chimen mwen, ou ni ka disparèt adan pli piti twou souri'a ou ké twouvé, pas mwen pé ké lésé'w trankil. Ou pé kwè mwen mwen ké pliché'w kon an fig !

Ès lakou ka dōmi !
Non lakou pa ka dōmi !

Si zôt pa ka kwè mwen, gadé byen lè an chyen ka kwazé an chat, obsèvè ki lès ki ka kouri dèyè lôt.

Sé dépi jou tala chyen ka ayi chat.

Compère Chien maudit Compère Chat :

- Chat, si un jour je te croise sur mon chemin, tu as intérêt à te cacher dans le plus petit trou de souris que tu trouveras. Car crois-moi je t'éplucherai comme une banane !

Est-ce que la cour dort ?
Non la cour ne dort pas !

Si vous me croyez pas, regardez bien lorsqu'un chien croise un chat, lequel des deux poursuit l'autre.

C'est depuis ce jour-là que les chiens haïssent les chats.

Le rêve de Compère Crabe

Rèv Konpè Krab

Médanm zé mésyé, èskè zôt sav pou ki yo ka kriyé krab Sémafôt, krab viyonlonnis. Pou ki tou léswè gwo sotwèl'la yo ka kriyé cabrit-bwa ka rélé anba bwa'a kon an kabrit ki pèd chimen'y ?

Yéééé krik ! Yé é krak !

Nanni-nannan sé an tan ki tèlman ansyen ké mwen enkapab di konté sé fèy'la ki an gwo-pyé tomaren'an ki adan jaden Bondyé'a.

Antan tala té ka viv adan an ti zil sityé jis dèyè do Bondyé an ti krab gaya mé ti bwen golbo, yo té ka kriyé Sémafôt.

Sémafôt té ka révé divini an gran viyonlonnis, men i té maladwèt.

Chak fwa i té ka fwoté viyonlon'an, kôd viyonlon'an té ka kasé anba gwo môdan'y.

An jou bonmaten sézon karenm, Sémafôt té asiz asou péwon kaz'la, dé koko-zyé'y té kolé anlè viyonlon'an.

24

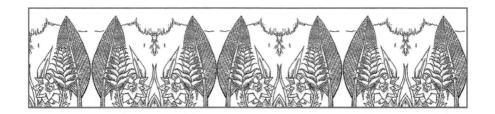

Mesdames, messieurs, savez-vous pourquoi on appelle le crabe Cémafaute crabe violoniste, et pourquoi les grosses sauterelles surnommées en créole *cabrit-bois** bêlent tous les soirs dans les bois comme un cabri qui a perdu son chemin ?

Yéééé cric ! Yé é crac !

Dans un temps très ancien, tellement ancien que je ne saurais compter les feuilles du gros tamarinier du jardin du Bon Dieu. En ce temps-là vivait dans une île lointaine un petit crabe courageux mais un peu maladroit du nom de Cémafaute. Il rêvait de devenir violoniste, mais dès qu'il pinçait les cordes de son violon avec sa grosse pince celles-ci se brisaient.

Un matin de carême, Cémafaute était assis sur le perron de sa case contemplant tristement son violon posé sur le sol.

*grosse sauterelle dont les cris rappellent étrangement le bêlement du cabri.

Compère Sauterelle qui rentrait de sa promenade nocturne l'interpella depuis la route.

- Eh ! Compère Crabe, tu as l'air bien triste de si bon matin. Que t'arrive-t-il ?

- Ah ! Compère Sauterelle, cette nuit j'ai fait un drôle de rêve !

- Raconte-moi ton rêve compère, si tu veux bien j'essayerais de l'interpréter. Tu ne le sais peut-être pas, mais je suis un spécialiste en la matière !

Konpè Sotwèl ki té sôti pwomnen lannuit, kriyé'y dépi bô chimen'a :

- É, Konpè Krab, ki sa ka rivé'w granbonnè di maten tala, ou an jan tris ?

- A, Konpè Sotwèl, mwen fè an dwôl di rèv lannuit'la !

- Rakonté mwen ki rèv ou fè'a konpè. Si ou lé mwen ka'y éséyé entèpwété'y ba'w. Fôk ou sav mwen sé an èspésialis pou sa !

- Yè oswè i té ka fè tèlman cho, ké sonmyè pa té lé chayé mwen, man mété mwen ka konté an lèspri mwen, dé kabrit ki té ka soté yonn pa yonn an kannal. Lè mwen rivé konté sètsan kabrit, man mété mwen ka révé ké mwen té an gran jwè viyonlon. Moun té ka kouri toupatou pou té kouté mwen jwé pabô mangwôv'la. Viyolon'an ké mwen té ka jwé'a té majik, sé an vyé kabrit ki té sôsyé ki té ba mwen'y. Vyé sôsyé'a révélé mwen i té ka aparèt tou lé ventan, men sèlman dènyé lannuit laplennlin la ki ka matjé lafen karenm'la. I di mwen vini jwenn'li. Man lévé épi an gwo kwa matjé dèyè do mwen, mwen ja fwoté pou sa tiré'y, men i pa ka pati. Adan sonméy mwen man désinen an ti-plan ki ka mennen an kaz sôsyé'a !

- Sa èstwadinè, Konpè Krab, sé oswè'a dènyé plennlin'la ki ka matjé bout karenm'la. Ou ké pétèt réyalizé rèv'ou. Konpè, montré mwen do'w épi plan'an ou désinen'an !

Sémafôt ripwan konfyans, men i té ka méfyié kôy di Konpè Sotwèl, ki té two fouyaya. I montwé'y kwa'a an do'y, men i rifizé montwé'y plan'an.

- Hier soir il faisait tellement chaud que j'avais un peu de mal à m'endormir. Pour trouver le sommeil j'ai commencé à compter des cabris imaginaires qui franchissaient un ruisseau. Au sept centième cabris je rêvai que j'étais un grand violoniste. On accourait du monde entier pour me voir jouer au bord de la mangrove. Le violon était magique, c'était un vieux cabri-sorcier qui me l'avait offert. Le vieux cabri-sorcier m'a révélé qu'il apparaissait dans la région une fois tous les vingt ans, mais uniquement la dernière nuit de la pleine lune du carême. Il m'a demandé de le rejoindre. Je me suis réveillé avec une grosse croix graver sur le dos, j'ai beau essayer de l'enlever, mais rien à faire. Et le plus surprenant, dans mon sommeil j'ai gribouillé un petit plan qui mène à la case de ce sorcier !

- C'est extraordinaire, Compère Crabe, c'est cette nuit la dernière pleine lune qui marque la fin du carême. Ton rêve pourrait peut-être se réaliser. Compère, montre-moi ton dos et ce plan !

Cémafaute reprit confiance mais il se méfiait de Compère Sauterelle qu'il trouvait trop curieux. Il lui montra la croix sur son dos mais refusa de lui montrer le plan.

- Pa pè Konpè Krab, mwen konnèt péyi-a patjè, fè mwen konfyans, lannuit sé kon lajounnen pou mwen !

Oswè, dé konpè'a suiv plan'an pou té pran chimen kaz a sôsyé'a. Sa té ka fè an bout tan ké yo té ka maché anba bwa'a, lè yo wè an mitan tras'la an tôti ki té kouché anlè do. Sémafôt ki té an krab donan té ja ka fè mannèv pou té pôté tôti'a soukou, men Konpè Sotwèl koupé lélan'y, é i di'y :
- Atann Konpè, ki moun ka di'w sé pa an soukouyan ki kouché'la ? An nou kontounenn'y kon si nou pa wè'y. Fôk nou rivé an kaz sôsyé'a avan jou ouvè, sinon ou pé di rèv'ou adyé pou toujou !
- Asé di bétiz Konpè Sotwèl, nou pé ké lésé malérèz'la an mitan tras'la adan gwo nwè'a. An nou fè débouya, a dé nou ka'y lévé'y défwa pli vit !

- N'aie crainte Compère Crabe, je connais l'île comme ma poche. Fais-moi confiance, la nuit c'est comme le jour pour moi !

Le soir, les deux compères suivirent le plan qui menait à la case du sorcier. Après quelques heures de marche dans la pénombre des sous-bois, ils virent au beau milieu du sentier une tortue couchée sur le dos. Cémafaute, qui était un crabe généreux, allait lui porter assistance quand Compère Sauterelle s'interposa :
- Attends Compère, qui te dit que ce n'est pas un soucougnan* qui est couché là ? Contournons-la comme si nous ne l'avions pas vue. Il faut qu'on arrive chez le sorcier avant l'aube, sinon il faudra dire adieu à ton rêve de musicien !
- Compère, protesta Cémafaute, nous n'allons pas laisser cette malheureuse dans la nuit au beau milieu du sentier. Viens, aide-moi, à deux nous pourrons plus rapidement la remettre sur pied !

*personne maléfique ayant le pouvoir de se changer en animal.

Ankô an fwa Konpè Sotwèl rifizé, i fé wôl i kagou.

- Konpè, ou ni ka éséyé tou sèl. Pa pwékosyon ba mwen tjenbé plan'an pandan ou ka lévé gwo tôti'a. Pa entjété'w, mwen ka'y gadé'y ba'w !

Magré méfyans'li, Sémafôt konfyé'y plan'an, apwé sa i vansé bô Manzèl Tôti, pou rasiré'y :

- Ki sa ki rivè'w Manzèl Tôti ?

- Konpè lè mwen wè kè lannuit'la té ké baré mwen an chimen, man mété mwen ka maché vit, lè mwen rivé an tèt môn'la, san konprann sa ki rivé mwen, man twouvé mwen anba môn'la. Akôz di pwa zékal mwen, man enkapad rilévé tou sèl !

Sémafôt rasiré Manzèl Tôti, i sanblé tout lafôs bra'y pou té tiré'y la. Apwé anlo éfô i pa rivé lévé malérèz'la.

I désidé fè an ti pozé pou té myé kaltjilé anlôt mannyè pou i lévé tôti'a.

De nouveau Compère Sauterelle refusa et feignit d'être malade.

- Compère, tu n'as qu'à essayer tout seul, mais avant, par précaution, confie-moi ton plan. Sois sans crainte je te le garderai précieusement !

Malgré sa méfiance, Cémafaute lui confia le plan et s'occupa de Mam'zelle Tortue.

- Que t'est-il arrivé Mam'zelle Tortue ? lui demanda Cémafaute.

- Compère, la nuit allait me barrer la route et j'ai voulu presser le pas. Mais quand j'ai atteint le sommet de la ravine, sans rien comprendre, je me suis retrouvée de nouveau au creux de la ravine. Et à cause du poids de ma carapace je ne peux pas me relever toute seule !

Cémafaute rassura Mam'zelle Tortue, et de toutes ses forces il tenta de la soulever, mais en vain. Le souffle coupé, il fit une petite pose afin de mieux réfléchir à un autre moyen pour porter secours à la grosse tortue.

An lidé travèsé lèspri'y, i kouri adan touf banbou i tayé an gran gôlèt, apwé sa i grenpé an pyé-koko, i mété an gro koko sèk até, i woulé'y bô manzèl Tôti. I pozé gôlèt'la a lorizantal anlè koko'a, i fiksé bout gôlèt'la anba karapas tôti'a épi lôt bout gôlèt'la i sèvi kôy kon an lévyé.

Apwé sa i sanblé tout lafôs bra'y anlè bout golèt'la pou té baskilé malérèz'la asou koté.

Détwa mouvman gôlèt'la kasé, i pèd létjilib ék i twouvé kôy asou bonda.

Érèzman pou'y an menm moman ké gôlèt'la té ka kasé, Manzèl Tôti rivé dégajé kôy déjistès.

Lè Manzèl Tôti ripwan lèspri'y i rimèsyé Sémafôt, ki té plito entjèt.

I té ka gadé toupatou anlantoun'li, i rélé Konpè Sotwèl, men pèsonn réponn'li. Sé la i konprann ki Konpè Sôtrèl té kouyonnen'y. Dékourajé, i mété kôy ka pléré gwo dlo.

Manzèl Tôti mandé'y sa ki té ka rivé'y.

Lè Séméfôt fini rakonté'y sa ki té rivé'y, i pwan désizyon ritounen lakaz'li.

Manzèl Tôti ki té byen vyé ba'y an ti konsèy :

Une idée lui vint, il s'enfonça dans les bambous. Il tailla rapidement une longue perche de bambou, ensuite il grimpa à un cocotier d'où il fit tomber une énorme noix et la fit rouler à proximité de la tortue. À l'aide de la perche de bambou posée en équilibre sur la noix de coco, une extrémité mise sous la lourde carapace de la Tortue, il se servit de l'autre extrémité comme levier pour faire basculer la malheureuse de l'autre côté. Mais la perche se brisa. Déséquilibré Cémafaute tomba à la renverse.

Heureusement Mam'zelle Tortue se dégagea au moment où la perche se brisa.

Aussitôt remise de ces émotions la tortue remercia Cémafaute qui était inquiet.

Il regardait partout, il appela Compère Sauterelle mais personne ne lui répondit. Comprenant que Compère Sauterelle l'avait berné, il éclata en sanglots.

Mam'zelle Tortue lui demanda ce qu'il avait. Après lui avoir tout raconté il décida de rebrousser chemin, mais Mam'zelle Tortue qui avait un certain âge lui conseilla :

- Bon konpè, pa tenmbolizé kô'w konsa, lè an bagay la pou'w, pyès dlo paka chayé'y. Lésé mwen di'w sa, antan mwen té an jenn ti-tôti, man té tann palé di sôsyé ou révé'a. I ka aparèt tou lé ventan pa koté Môn-Sannon. Sé a dézoutwa lè di isi'a, malérèzman apwé lo émosyon'an man ni oswè tala, akôz di pwa mwen san palé di laj mwen, man pé ké pé akonpanyé'w. Pa entjété'w, mwen ké montré'w an ti chimen chyen ki ké pèmèt'ou rivé avan jou ouvè.

Rasiré, Sémafôt di Manzèl Tôti adyé, i ripwan vitman présé chimen'y.

Inè apwé, asou klaté laplenlin i rivé adan an gran savann, adan an touf razyé i tann an vwa ki té ka kriyé anmwé.

Cémafôt lévé môdan'y, é i vansé plen kouraj an dirèksyon touf razyé'a.

38

- Mon brave Compère, quand quelque chose t'est réservé, c'est pour toi et pour personne d'autre. Écoute bien ce que je vais te raconter, quand j'étais jeune tortue j'ai entendu parler de ce grand sorcier dont tu as rêvé.

Il apparaît tous les vingt ans au Morne-Sannom. C'est à quelques heures de marche d'ici. Malheureusement, après toutes les émotions de ce soir, vu mon poids et mon grand âge, je ne vais pas pouvoir t'accompagner car je te retarderais. Ne t'inquiète pas, je vais t'indiquer un raccourci et, si tu te hâtes, tu y seras bien avant l'aube.

Rassuré, Cémafaute fit ces adieux à Mam'zelle Tortue et reprit rapidement sa route.

Une heure plus tard, sous la clarté de la pleine lune, il arriva dans une clairière où il entendit des plaintes provenant du sous-bois. Cémafaute leva sa pince coupante et, courageusement, il s'approcha.

Il découvrit Commère Tourterelle la tête en bas, les deux pattes maintenues par une liane qui était nouée à une grosse branche de fromager.

Sur le sol il y avait un magnifique régime de bananes bien mûres.

Cémafaute qui avait baissé sa pince, lui demanda ce qu'elle faisait là.

I twouvé Komè Toutwèl dé pat'li maré épi an liann anba an gwo branch fwomajé, an bèl réjim bannann mi atè'a anba tèt'li.

Sémafôt ki té bésé môdan'y, mandé Komè Toutwèl sa i té ka fè la.

41

- Konpè, si ou lé sav sa ki rivé mwen, vini pou déméré mwen'la. Pa fè kon malonnèt Konpè Sotwèl ki lè i wè mwen chyélé kon si té ni an bann zonbi té ka kouri dèyè'y. Mwen té ka pasé pa la paraza apwémidi'a, lè man wé bèl réjim bannann mi tala, mwen té fen, mwen pa méfyé kô mwen. Man apwoché mwen pou té gouté yonn dé fig lè dé pat mwen rété pri adan zatrap tala, man pa menm tan konprann sa ki té ka rivé mwen. Konpè pa lésé mwen la konsa, vini démaré mwen.

- Pa entjété'w Komè, rasiré'y Sémafôt, mwen ké démaré sé lyann lan !

Lè i enfen lib, pou i té ripwan lafôs, Komè Toutwèl ranpli bouden'y épi dézoutwa bannann. Lè bouden'y té byen plen, i mandé Sémafôt sa i té ka fè anba bwa'a a lè tala. Sémafôt rakonté'y rèv'li épi mézavanti'y épi Konpè Sotwèl.

- Apwézan mwen ka konprann pou ki malonnèt tala té tèlman présé, réponn Komè Toutwèl. Érèzman ou té ka pasé pa la Konpè Krab, asiréman mwen té ké fini an kaswôl chasè'a ki pozé zatrap tala. Mwen ka dwé'w lavi Konpè, mwen ké ba'w an koutmen pou'w sa réyalizé rèv'ou. Fè mwen konfyans, monté anlè do mwen, montwé mwen chimen'an, anlè nou ké alé défwa pli vit !

- Compère, si tu veux savoir, viens plutôt me sortir de là. Ne fais pas comme ce malhonnête Compère Sauterelle qui a détalé comme s'il était poursuivi par une horde de zombis. Cet après-midi je passais par là par hasard quand j'ai vu ce beau régime de bananes. J'avais un petit creux, sans me méfier, je me suis approchée pour en goûter quelques-unes. Je n'ai pas eu le temps de comprendre ce qui m'arrivait. Et vlan ! j'ai eu les pattes nouées dans ce piège, Compère libère-moi !

- T'inquiète pas commère, la rassura Cémafaute, je vais dénouer tes liens !

Une fois libérée, Commère Tourterelle se régala de quelques bananes afin de reprendre des forces. Puis le ventre plein, elle demanda à Cémafaute ce qu'il faisait là à une heure si tardive. Cémafaute lui raconta son rêve et sa mésaventure avec Compère Sauterelle.

- Ah !, maintenant je comprends pourquoi ce scélérat était aussi pressé, lui répondit Commère Tourterelle. Sans ton aide j'aurais sans doute fini dans la casserole du chasseur qui a posé ce piège. J'ai une dette envers toi Compère, je vais t'aider à réaliser ton rêve. Fais-moi confiance, viens, monte sur mon dos et guide-moi, nous irons plus vite par les airs !

Dézoutwa minit apwé yo rivé douvan an ti kaz ki té konstui anlè an ti-môn.

Douvan lantré kaz'la té ni an vyé kabrit doubout ki té ka fimen an pip osi long ki an flit. Lè i apwoché bô'y, Sémafôt rikonnèt vyé sôsyé'a ki té adan rèv li. Vyé sôsyé'a salwé yo é i di yo :

- Mézanmi, zôt byenvini lakaz mwen. Apwoché'w Sémafôt, mwen té ka atann'ou. Sémafôt lo renkont ou fè oswè'a sé pa paraza yo rivé. Sé mwen ki jété Manzèl Tôti an mitan tras'la, sé mwen osi ki mété zatrap'la ou tonbé adan'y Manzè Toutwèl ! Man té lé sav ki kalité krab ou té yé. Ou sé an ti krab ki ni an pil bonté, ki témérè, suiv mwen man ni sa ou vini chaché jis isiya !

Sémafôt ézité vansé. Komè Toutwèl ki té rété douvant kza'la wouklé tou dous pou rasiré'y.

Lè i antré adan kaz'la i mantjé pèd létjilib tèlman kaz'la té ranpli épi enstriman misik. Té ni ki té ka pann an plafon'an, té ni ki té krôché anlè lé kat koté mi'a. Té ni tout kalité, tout londjè, tout koulè.

Quelques minutes plus tard ils arrivèrent devant une petite case construite sur un morne.

Devant l'entrée de la case se tenait debout un vieux cabri qui fumait une longue pipe.

En s'approchant, Cémafaute reconnut le grand sorcier qu'il avait vu dans son rêve. Le vieux sorcier les salua et leur dit :

- Mes amis, soyez les bienvenus, approche-toi Cémafaute, je t'attendais. Cémafaute, tes rencontres de ce soir n'étaient pas dues au hasard, c'est moi qui ai renversé Mam'zelle Tortue au milieu du sentier et installé le piège dans lequel tu t'es fait prendre Commère Tourterelle. Je voulais savoir quel genre de crabe tu étais. Tu es généreux et courageux, suis-moi, j'ai ce que tu es venu chercher !

Cémafaute avança d'un pas hésitant. Commère Tourterelle, restée devant l'entrée de la case, roucoula doucement pour le rassurer.

En entrant dans la petite case il fut émerveillé devant le nombre d'instruments de musique accrochés aux murs et au plafond. Il y en avait de toutes les sortes, de toutes les dimensions et de toutes les couleurs.

Sôsyé'a dékrôché an viyonlon ki té ni menm kwa'a ki té matjé dèyè do Sémafôt. Sôsyé lonjé viyonlon'an, i di'y :

- Konpè mwen ka ofè'w viyonlon majik tala. Chak fwa ou ké jwé épi'y, i ké vini envizib. Pa wont di kwa'a ki matjé dèyè do'w, i ka pwotéjé'w pou yo pa volè'w. Viyonlon'a sé ta'w pou toujou, apwézan ou pé pati trankil !

Sémafôt rimèsyé sôsyé'a, é i ripati anlè do Komè Toutwèl.

Apenn yo té pwan lanvôl, konpè Sotwèl rivé douvan kaz sôsyé'a, ka kriyé 'y :

- Hé gran sôsyé, yè oswè mwen révé'w, sé rèv mwen ki mennen mwen jis isi a. Gadé wè, mwen jis désinnen an plan pou té twouvé'w. Man vini chaché enstriman majik'la ou pwomèt mwen adan rèv mwen !

Sôsyé'a doubout douvan lapôt kaz'la, réponn'li épi an mannyè rèd :

- Konpè pa ni ayen pou'w isi'a. Cémafôt, ou té kwè ou kouyonnen, ja pasé. Ritounen la ou sôti sélérat ! Volè pa ni plas douvan lapôt kaz mwen !

50

Le sorcier décrocha un violon qui avait la même croix que celle gravée sur sa carapace. Il lui tendit l'instrument en lui disant :

- Compère, je t'offre ce violon magique. Chaque fois que tu joueras il deviendra invisible. N'aie pas honte de la croix sur ton dos, elle te protégera des voleurs. Maintenant pars tranquille !

Cémafaute remercia le sorcier et reprit le chemin de retour sur le dos de Commère Tourterelle.

Tout de suite après leur départ, arriva Compère Sauterelle qui héla le grand sorcier :

- Hé grand sorcier, j'ai rêvé de toi la nuit dernière, c'est mon rêve qui m'a conduit jusqu'à toi. Regarde, dans mon sommeil, j'ai même dessiné ce plan qui m'a guidé jusqu'à toi. Je viens chercher l'instrument magique que tu m'as promis dans mon rêve !

Debout sur le seuil de sa case, le sorcier lui répondit d'un ton sévère :

- Compère, il n'y a rien pour toi ici. Cémafaute que tu croyais berner t'a devancé. Retourne d'où tu viens scélérat ! Les voleurs n'ont rien à faire chez moi !

Konpè Sotwèl lévé bouj-rouj, i bouskilé sôsyé'a pou i té antré adan kaz'la.

I risivwé yan volé kout baton anlè têt épi yan manman kout pyé an bonda ki vwéyé'y planté bannann anba môn'la. Lé i rélévé i té lé jiré sôsyé'a, men a laplas pawôl i mété ka bélé kon an kabrit. I té lé mandé sôsyé'a padon.

Awa, twota, kon lamaji ti-kaz'la èk sôsyé'a té ja disparèt anlè môn'la.

Douvan jou té ja ka pwenté bout zôtèy'li, Konpè Sotwèl, tèlman i té wont, kouri séré an fon anba môn'la, pou té sôti lè gwo nwè té ka fèt anba bwa'a.

Yéééé krik ! Yé é krak !

52

Furieux, Compère Sauterelle bouscula le sorcier et tenta de rentrer dans sa case pour lui voler un instrument. Il reçut une volée de coups de canne sur la tête. Puis le sorcier, d'un grand coup de pied au derrière, l'envoya au fond de la ravine. En se relevant Compère Sauterelle tenta d'insulter le sorcier mais à la place des mots il se mit à bêler comme un cabri. Il voulut demander pardon, mais trop tard, la case et le sorcier avait disparu comme par enchantement.

Aux premières lueurs du soleil, Compère Sauterelle, honteux, s'enfuit au plus profond de la ravine pour ne sortir qu'à la nuit tombée.

Yéééé cric ! Yé é crac !

Mézanmi, lè lannuit ka tonbé, tand byen zorèy zôt, zôt ké tann anba bwa'a an kabrit ki ka rélé kon si i pèd chimen'w, bèkèkè, bè...kèkè...

Sé Konpè Sotwèl ki ka pléré asou sô'y. Pwan gad douvanjou pou pa rakonté'y pli bèl rèv zôt pas i kapab volè'y.

Ès lakou ka dômi ?
Non lakou pa ka dômi !

Mésyé zé danm lakonpanni, détwa jou apwé mésavanti tala, ti krab'la yo té ka kriyé Sémafôt vini pli gran jwè viyonlon di mond.

Tout moun té ka kouri toupatou pou té kouté'y jwé pabô mangrôv'la. Menm misyé lirwa fè'w jwé douvan tout lakou'y.

Si an jou, zôt désann pa bô mangrôv'la, zôt pétèt ké kwazé lé désandan Sémafôt. Zôt ké rikonnèt yo gras a kwa'a ki matyé anlè do yo.

Pa éséyé volé viyonlon yo, zôt ké riské pèd an dwèt.

Mes amis, lorsque le soir tombe, pointez bien l'oreille, vous entendrez dans les sous-bois des bêlements geignards, *bèkèkè, bè..kèkè...*

C'est Compère Sauterelle qui pleure sur son sort. Prenez garde, à l'aube, ne lui racontez jamais votre plus beau rêve car il peut vous le voler.

Est-ce que la cour dort ?
Non la cour ne dort pas !

Mesdames, Messieurs de l'assistance, quelques jours plus tard, le petit crabe Cémafaute devint un virtuose du violon.

On accourait du monde entier pour l'écouter au bord de la mangrove. Même monsieur le roi le fit jouer à sa cour.

Si un jour, vous vous rendez aux abords de la mangrove, vous croiserez peut-être les descendants de Cémafaute. Vous les reconnaîtrez grâce à la croix visible sur leur dos.

N'essayez pas de voler leur violon vous risqueriez d'y laisser un doigt.

Table des Matières

Jeunesse L'Harmattan
Collection dirigée par Isabelle Cadoré, Denis Rolland,
Joëlle et Marcelle Chassin

Manuel Peña MUÑOZ, *Les enfants de la croix du sud*, 2009.
Hélène DIAZ, *Shammar et le souffle du zéphyr*, 2008.
Pierre BOUSSEL, *Djinou, le léopard de l'Himalaya*, 2008.
Laurent MONTEL et Sarah GABRIELLE, *Eby et le mangeur de contes. Théâtre*, 2008.
Pierre PARROT, *Les bonbons magiques de Babouchka*, 2008.
Charlotte Escamez, *La Belle et la Bête*, 2008.
Michel SAAD, *Fatine, bergère du Liban*, 2008.
Philippe JAMAIN, *Manco et le vent des Andes*, 2008.
Carlos Henriques PEREIRA, *Gentil, l'étalon d'Alter – Gentil, o cavalo de Alter. Bilingue français-portugais*, 2008.
Jean-Marc COSTANTINO, *Le milieu de la mer. Eté 54 à Alger*, 2008.
Carlos Henriques PEREIRA, *Império l'âne aux longs poils. Bilingue français-portugais*, 2008.
Fabrice BLAZQUEZ, *Meurtre en pays maya*, 2008.
Emmanuelle POLACK et Benjamin ROYON, *Simon le Voleur du temps. Bilingue yiddish-français*, 2008.
Rozenn TORQUEBIAU, *Le tableau magique de Tanzanie*, 2008.
Mireille DESROSES BOTTIUS, *Les vacances de Térésin, Vakans Térézen – bilingue créole/français*, 2008.
Edmond LAPOMPE-PAIRONNE, *Touloulou au Pays des Mantous*, 2008.
Edith PAULY, *Gigi la grenouille qui voulait voir la mer !*, 2008.
Francis WEILL, *L'inoubliable voyage au pôle Nord de M. Mac Ohm et de Wou-wou le chien*, 2008.
Francis WEILL, *Un ébouriffant éléphant. Histoire fantastiques et drolatiques d'Afrique*, 2008.
Anne LABBE, *Asgrim et le cheval dérobé aux dieux*, 2008.
Carlos Henriques PEREIRA, *Jerico, le taurillon de Villa Franca/Jerico, o tourinho de Vila Franca (bilingue français-portugais)*, 2007.
Pierre LIMA de JOINVILLE, *Quatre compères et le fleur soleil des Antilles*, 2007.

L'HARMATTAN, ITALIA
Via Degli Artisti 15 ; 10124 Torino

L'HARMATTAN HONGRIE
Könyvesbolt ; Kossuth L. u. 14-16
1053 Budapest

L'HARMATTAN BURKINA FASO
Rue 15.167 Route du Pô Patte d'oie
12 BP 226
Ouagadougou 12
(00226) 76 59 79 86

ESPACE L'HARMATTAN KINSHASA
Faculté des Sciences Sociales,
Politiques et Administratives
BP243, KIN XI ; Université de Kinshasa

L'HARMATTAN GUINEE
Almamya Rue KA 028
En face du restaurant le cèdre
OKB agency BP 3470 Conakry
(00224) 60 20 85 08
harmattanguinee@yahoo.fr

L'HARMATTAN COTE D'IVOIRE
M. Etien N'dah Ahmon
Résidence Karl / cité des arts
Abidjan-Cocody 03 BP 1588 Abidjan 03
(00225) 05 77 87 31

L'HARMATTAN MAURITANIE
Espace El Kettab du livre francophone
N° 472 avenue Palais des Congrès
BP 316 Nouakchott
(00222) 63 25 980

L'HARMATTAN CAMEROUN
BP 11486
Yaoundé
(00237) 458 67 00
(00237) 976 61 66
harmattancam@yahoo.fr

Achevé d'imprimer par Corlet Numérique - 14110 Condé-Sur-Noireau
N° d'imprimeur : 57409 - Dépôt légal : février 2009 - *Imprimé en France*